L' île au trésor

adapté pour les jeunes lecteurs
d'après Robert Louis Stevenson

illustré par Van Gool

© Pour la création, le scénario et les illustrations : A.M. Lefèvre, M. Loiseaux, M. Nathan-Deiller, A. Van Gool.
Texte de Michel Manière d'après le texte original de Robert Louis Stevenson.
Edité et produit par : **Creations for Children International,** Belgique.
www.c4ci.com
Publié en France par Éditions Dolphino, Paris
Tous droits réservés
Imprimé en Singapour

Première partie
La grande aventure

CHAPITRE 1

Le balafré

Je m'appelle Jim Hawkins. À l'époque où commence cette histoire, je n'avais encore que quatorze ans mais, mon père étant déjà mort, j'étais le seul homme à la maison. C'est pourquoi je devais aider ma mère à tenir la petite auberge que nous possédions dans l'une des régions les plus sauvages de la côte anglaise. Les voyageurs qui s'aventuraient jusque chez nous n'étaient pas tous très rassurants. Comme ce grand escogriffe que, dès le début, je surnommai « le Balafré » à cause de la cicatrice qui lui barrait la joue…

5

Il arriva par un soir de tempête, traînant derrière lui un gros coffre auquel il semblait beaucoup tenir, déclarant qu'il resterait quelques temps chez nous. Dès lors, il partagea son temps entre la grande salle où il buvait whisky sur whisky, affalé dans un coin, et le sommet de la falaise d'où il guettait l'horizon en marmonnant :
« Il finira bien par venir, nom de nom ! »

Quelqu'un vint, en effet, une espèce de pirate que le Balafré reçut dans sa chambre. Ils discutèrent un moment, puis le ton monta et on les vit surgir en haut de l'escalier, dégringoler les marches et jaillir au dehors. Le Balafré brandissait un couteau.

« Je t'aurai, Chien Noir ! » hurlait-il.

Quand il revint, peu après, il était seul. Il se remit à boire et ne dessoûla plus.

Le docteur Livesey, un ancien ami de mon père qui nous rendait visite de temps en temps, le mit en garde : « L'alcool vous tuera, lui dit-il. Votre cœur est déjà très faible. Au moindre choc, vous y resterez… »

Ce choc survint quelques semaines plus tard, en la personne d'un autre visiteur : un mendiant aveugle qui remit au Balafré un parchemin avec une tache noire pour tout message.

Pourtant ce message devait être clair pour lui, car il se mit à trembler comme une feuille.

« Tu as jusqu'à dix heures pour rendre à qui tu sais ce que tu sais, déclara mystérieusement l'aveugle en repartant. Par le fantôme de Flint, je te le dis : cette fois tu n'y échapperas pas ! »

Le Balafré ouvrit la bouche, porta les deux mains à son cœur, pâlit… et s'effondra !

Je me précipitai vers le Balafré : il était mort ! Je réalisai que les auteurs du mystérieux message risquaient de revenir. J'appelai ma mère.

« Il nous doit un mois de pension, dis-je. Ouvrons son coffre et payons-nous pendant qu'il est encore temps. »

Il y avait en effet quelques pièces d'or. Mais ce qui m'intrigua, ce fut une grande enveloppe cachetée… J'allais l'ouvrir, mais un bruit m'arrêta.

Je vis par la fenêtre des gredins qui entraient chez nous.
Je pris les pièces et la précieuse enveloppe et j'entraînai
ma mère par la porte de derrière. Nous courûmes nous
cacher sous un pont où ils faillirent bien nous trouver.
Mais au dernier moment, ils rebroussèrent chemin, nous
laissant tremblants de frayeur.

Dès que j'eus ouvert l'enveloppe, son contenu me parut de la plus haute importance. Je fonçai à la ville, voir le docteur Livesey. Je le trouvai chez son ami le châtelain Trelawney.

Quand j'eus raconté ce que j'avais entendu, Trelawney s'exclama, passionné :

« Le capitaine Flint ! Mais c'est le fameux pirate ! Il est mort voici trois ans en laissant un trésor que personne n'a jamais retrouvé. Voyons ce que dit ce papier... »

« Ça alors ! s'écria-t-il, le plan d'une île ! Sa situation dans le Pacifique est parfaitement repérable. Et cette croix, ici… c'est sûrement le trésor ! Bravo, Jim !
– Je comprends pourquoi le Balafré tenait tant à son coffre ! m'exclamai-je. Et pourquoi tout le monde voulait le lui prendre ! »

CHAPITRE 2

La traversée

C'est Trelawney qui parla le premier de chasse au trésor.
Le docteur accueillit cette idée avec joie. Quant à moi, je
n'osais rien dire… Mais quel bonheur lorsqu'ils me pro-
posèrent de les accompagner en tant que mousse ! Bien
sûr, j'eus du mal à convaincre ma mère de me laisser par-
tir. Mais, à force de lui répéter que nous serions riches au
retour, elle finit par céder. Et, un mois plus tard,
Trelawney, le docteur et moi arrivions dans le port de
Bristol. Le bateau qui nous attendait s'appelait
l'Hispaniola, et notre capitaine, Smolett.

Quant à l'équipage, ce fut un nommé Silver, patron de taverne sur le port, qui fut chargé de le réunir. Le jour où je fis la connaissance de ce vieux pirate et de son perroquet, je remarquai, parmi les clients, quelqu'un que j'avais déjà vu. Mais où ? Pas moyen de m'en souvenir ! Après nous avoir écoutés, l'homme se leva et sortit. Alors, son nom me revint : Chien Noir, celui que le Balafré avait poursuivi, un soir, avec son couteau.

J'en parlai au capitaine Smolett qui s'écria :
« Trelawney a trop parlé. Tout le monde ici sait maintenant où nous allons. Et ce bandit de Silver, quelle idée de lui avoir confié le recrutement des hommes ! » Comme ceux-ci chargeaient le bateau, Smolett ne les quittait pas des yeux, veillant à ce qu'ils portent toutes les armes à l'arrière, près des cabines du châtelain et du docteur : seule garantie en cas de mutinerie. Dès que le chargement fut à bord, nous levâmes l'ancre.

Le temps était idéal, avec juste ce qu'il faut de vent pour gonfler les voiles et nous entraîner rapidement vers le large. J'étais heureux… mais aussi très ému de quitter pour la première fois ma chère Angleterre !

« Alors, me dit Trelawney, c'est un grand jour ?

– Respire bien fort, me conseilla le docteur.

C'est le meilleur moyen d'éviter le mal de mer. »
Je respirai, et ne fus pas malade. Heureusement, car
j'eus tout de suite beaucoup à faire. Cela ne m'empê-
cha pas d'observer ce qui se passait. C'est ainsi que je
remarquai que le vrai chef d'équipage n'était pas le
capitaine, mais Silver : les marins le craignaient et
n'en menaient pas large quand il se mettait en colère.

Toutefois, je n'en dis rien à personne, préférant attendre d'en savoir un peu plus…

Une nuit où Silver rôdait sur le pont, je me cachai dans un tonneau au moment où il abordait un marin :

« Ça te tente de devenir riche ? lui demanda-t-il. Voici mon plan : on file doux jusqu'à la découverte du trésor — bien obligé c'est eux qui ont la carte ! — mais, sitôt le magot à bord, on les tue et on rentre avec le bateau ! »

Je fonçai chez le capitaine et lui racontai tout.

« Vos bavardages ont porté leurs fruits ! soupira-t-il, après avoir fait appeler Trelawney. Maintenant, il va falloir jouer au plus fin : surtout ne pas éveiller la méfiance des marins avant d'être sur l'île.

— Et s'ils prenaient les devants ? m'inquiétai-je, s'ils n'attendaient pas Silver pour se mutiner ?

— C'est à envisager. Raison de plus pour être vigilants ! »

Vigilant, je le fus durant tout le reste du voyage. Si je ne surpris plus de complot nocturne, j'en entendis tout de même assez pour comprendre que les marins ne formaient pas un seul bloc autour de Silver : beaucoup s'en méfiaient, certains le détestaient. Mais tous, autant que moi, étaient impatients d'accoster.

« Terre ! Terre ! » entendit-on crier un beau matin.

C'était l'homme de la vigie : l'île au trésor était en vue !

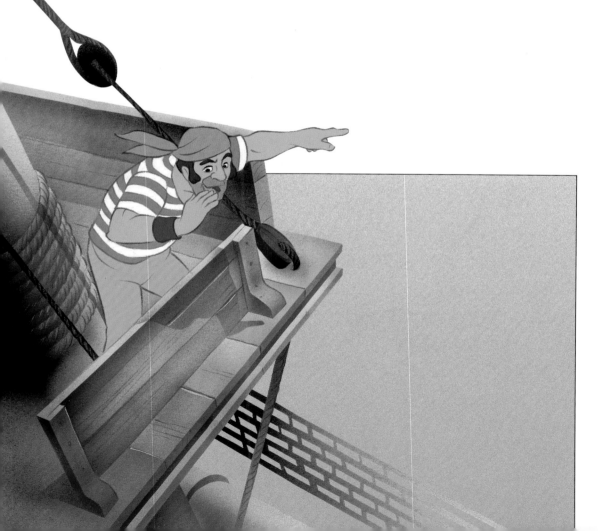

Silver voulut tout de suite débarquer. Le capitaine jugea bon de ne pas le contrarier : sans carte pour explorer l'île, aucun risque qu'il mette la main sur le trésor. Et puis, il valait mieux que les hommes ne restent pas tous ensemble.

Il permit donc à la moitié d'entre eux de mettre des canots à la mer. Depuis le pont, je les regardais avec des yeux d'envie : j'aurais tellement voulu, moi aussi, me rendre sur l'île !

CHAPITRE 3

*S*ur l'île

Je ne résistai pas longtemps. Comme les marins chargeaient le dernier canot avec des vivres, des outils et des
armes pour la chasse, je sautai dedans à l'insu de tous et
me cachai entre deux ballots. Un peu plus tard, nous
étions sur l'eau. Je ne voyais rien mais j'entendais sous
moi le clapotis des vagues. Le temps me parut très long :
j'avais si peur d'être découvert ! Enfin le canot s'immo-
bilisa, freiné par le sable. Je me glissai dans l'eau par l'arrière et attendis que tout le monde eut disparu pour
gagner la terre ferme. Là, je grimpai à un arbre.

Sous moi, les marins étaient en grande discussion :

« Attendons qu'ils aient trouvé le trésor, disait Silver.

– Pas question, rétorqua l'un des hommes, ils risquent de filer avec ! Tuons-les et nous aurons le plan !

– Les tuer ! Je ne suis pas d'accord ! intervint un autre.

– Qui n'est pas d'accord avec nous est contre nous ! » s'énerva le premier. Et, sans lui laisser le temps de s'expliquer, il lui planta un couteau dans le cœur !

J'étais terrifié. Je descendis de mon arbre et me cachai dans la forêt, n'osant plus bouger.

Je restai ainsi des heures quand, soudain, un bruit me fit bondir : une espèce d'homme préhistorique se tenait devant moi !

« Ne crains rien, me dit-il, je suis Ben Gunn. J'ai tout vu, tout entendu, tout compris ! Aide-moi et je t'aiderai ! »

Comment pouvais-je l'aider ?

Ben Gunn m'expliqua qu'il faisait partie de l'expédition de Flint, trois ans auparavant, et qu'il avait été abandonné sur l'île par Silver et ses hommes.

« Oui, Silver ! répéta-t-il devant mon air ahuri. C'est lui qui nous commandait. S'il me trouvait, il me tuerait ! Regagnons ton bateau ensemble. J'ai un canot ! »

Mais au moment où nous arrivions en vue du canot, une énorme détonation nous fit sursauter !

Le canon de l'Hispaniola tirait vers l'île !
Je regardai ce qu'il visait, et découvrit une construction
de bois.
« C'est le fortin construit par Flint, dit Ben Gunn. Silver
et ses hommes doivent y être. Si tes amis veulent me
voir, ils me trouveront près de la colline. Moi, je file ! »

J'allai en faire autant, quand notre drapeau fut hissé sur
le toit ! Je n'y comprenais plus rien.

J'hésitai : ou ce drapeau était un piège, ou mes amis avaient eux aussi gagné l'île en canot pendant que je restai terré dans la forêt… Le canon tirait toujours, mais sans causer de vrais dégâts : il était trop loin. C'est alors que j'aperçus le capitaine qui me faisait signe ! Je me précipitai dans le fortin où tous mes amis se trouvaient ! Ils ne pensèrent pas à me gronder pour ma fugue tant ils étaient contents de me revoir.

Trelawney m'expliqua ce qui s'était passé.

« À peine Silver parti, les marins restés à bord se sont mutinés. Ils pouvaient enfin agir à leur guise : nous réduire à leur merci et s'emparer du plan ! Heureusement, le capitaine et le docteur ont su les tenir en respect. Oh ! ça n'aurait pas duré, excités comme ils étaient ! Mais ça m'a permis de mettre un canot à la mer. Et nous voilà sur l'île. »

Il raconta ensuite comment ils avaient découvert le fortin et comment ils s'y étaient réfugiés.
« À présent, conclut-il, ce sont les autres qui risquent de passer à l'attaque. Tenons-nous prêts à réagir ! »

Deuxième partie
La récompense

CHAPITRE 4

L'assaut

En attendant l'assaut, je racontai mon aventure. Comme elle était trop peu glorieuse, je l'embellis, évitant de dire que j'étais resté des heures tapi dans la forêt.

« J'ai exploré l'île, mentis-je, et c'est comme ça que je suis tombé sur Ben Gunn… »

Je savais que j'allais faire de l'effet.

« Ben Gunn ? » s'écrièrent-ils d'une seule voix.

Je leur fis alors une description du naufragé, avec sa barbe immense et ses yeux fous, qui les fit frémir ! Puis, comme j'étais épuisé, je m'endormis.

Mes compagnons, quant à eux, se relayèrent jusqu'au matin pour faire le guet. Côté mer, le canon s'était tu et aucun canot n'apparut sur les flots. Côté terre, calme plat toute la nuit. Mais, à l'aube, la voix du capitaine me réveilla. Il était dehors. Je courus le rejoindre.

« Je ne négocie pas avec les traîtres ! criait-il. Le seul langage que j'emploie avec eux, c'est le fusil ! »

Celui à qui il s'adressait n'était autre que Silver.

Il était flanqué de deux acolytes dont l'un brandissait un drapeau blanc. Il s'énervait :

« Vous êtes une poignée et nous des dizaines ! Donnez-nous le plan et nous vous aiderons à quitter l'île !

– Et quoi encore ! s'esclaffa le capitaine.

– Alors, vous l'aurez voulu ! »

Furieux, Silver tourna les talons.

Peu après, Silver était de retour avec ses hommes armés jusqu'aux dents. Mais nous aussi nous étions armés.

Et notre position, en hauteur à l'abri du fort, compensait notre petit nombre.

Nous dûmes quand même nous battre dur, éviter bien des balles, bien des coups d'épées et de haches, avant que les mutins ne déclarent forfait ! Lorsqu'enfin ils comprirent qu'ils ne nous délogeraient pas, ils s'enfuirent comme ils étaient venus.

Des heures durant, nous nous demandâmes s'ils allaient revenir.

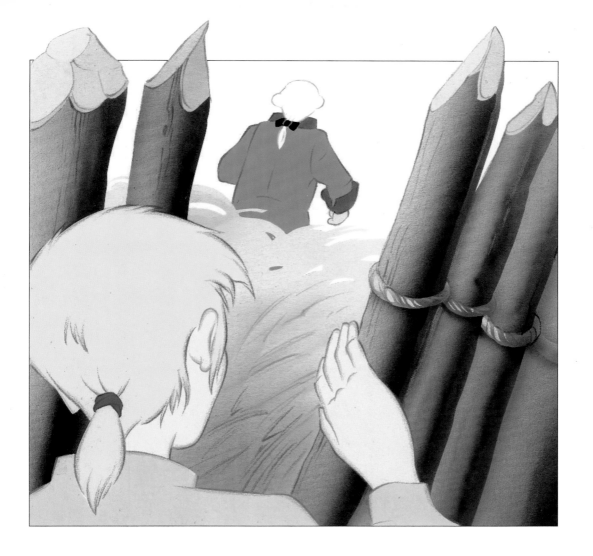

Mais, comme rien ne se passait, le docteur mit le plan dans sa poche, prit ses pistolets et sortit.

« À mon tour d'explorer l'île ! lança-t-il.

– Je vais avec vous, m'écriai-je.

– Pas question, je me ferai moins remarquer seul. »

« Si c'est ainsi, pensai-je, moi aussi je vais agir en solitaire ! » Et je sortis discrètement derrière lui.

CHAPITRE 5

Comme un rat

Mon souci, c'était l'Hispaniola : je ne voulais pas que les pirates puissent repartir sans nous en Angleterre. Quand j'eus retrouvé le canot de Ben Gunn, j'attendis la tombée de la nuit pour rejoindre le navire dans cette coque de noix qui dansait sur les vagues. Sitôt arrivé, je sortis mon couteau et tranchai les amarres, sûr que l'Hispaniola allait dériver et s'échouer sur l'île… Or, c'est le contraire qui se produisit : elle dériva vers le large ! Sans hésiter, j'abandonnai le canot, et m'accrochant à l'amarre, grimpai jusqu'au pont.

Hormis le claquement des cordages sous l'effet du vent et des sinistres cris des mouettes alignées sur le bastingage, pas le moindre bruit à bord sauf quelques ronflements. Apparemment, une terrible bagarre avait eu lieu : ceux qui ne dormaient pas étaient morts !

Je sortis tout de même mon pistolet de ma poche et, prudemment, m'avançai en enjambant avec effroi une dizaine de cadavres.

Bientôt, j'atteignis la hune. Ce qui m'attendait était peut-être au-dessus de mes forces. Pour la première fois ce soir-là, je doutai de moi : pourrais-je à moi seul redresser la barre ? Il le fallait absolument ! Sinon, je me retrouverai sans tarder en pleine mer avec dix pirates morts et une vingtaine de survivants ! J'attrapai la grande roue et commençai à manœuvrer…

Victoire ! L'Hispaniola avait changé de cap : la lune, à tribord tout à l'heure, brillait à présent derrière moi. Le vent s'engouffra dans les voiles, et je vis distinctement l'île se rapprocher. Une seule angoisse : que les pirates encore endormis se réveillent. La manœuvre m'avait paru se faire dans un fracas épouvantable. Et quand le navire s'échoua, ce fut un vrai cataclysme ! Mais je m'en moquais : déjà, j'avais sauté à terre !

Je courus comme un fou vers l'intérieur de l'île.
« Sauvé » pensai-je en apercevant le fortin perché sur sa
colline. Je gravis celle-ci en moins de deux.
« Ouvrez-moi ! criai-je, au pied de la palissade.
– Tout de suite ! » répondit une grosse voix.
Et, avant que j'aie pu déterminer à qui elle appartenait,
j'étais fait comme un rat : ce n'était plus mes amis qui
occupaient le fortin, mais Silver et ses hommes !

CHAPITRE 6

Le trésor

Quand Silver me brandit le plan de l'île sous le nez, en m'affirmant que mes amis s'étaient rendus, je le suppliai de me dire où ils étaient.

« Partis à ta recherche, répondit-il.

– Alors, laissez-moi les rejoindre ! m'écriai-je.

– Pas avant que nous ayons trouvé le trésor. Tu es notre otage. Si ce plan est un faux, si le capitaine nous a trompé, tu paieras à sa place ! Sinon, tu seras libre. »

« Impossible que mes amis aient cédé ! » pensais-je plus tard, comme nous marchions à la recherche du trésor.

Suivant scrupuleusement les indications de la carte, nous battions la campagne depuis plus de deux heures, lorsque Silver s'écria : « Là-bas, regardez ! »

Un homme en costume de pirate était allongé dans l'herbe, immobile. Nous nous précipitâmes pour le voir de plus près. Et là, c'est moi qui poussai un cri !

L'homme n'était plus qu'un squelette ! Son horrible bouche béante semblait se moquer de nous. « Et son bras, vous avez vu ? dit l'un des pirates, aussi impressionné que moi. On dirait qu'il nous montre le chemin ! Pas bête, reconnu Silver en vérifiant la chose sur le plan. Allons-y. Le trésor ne doit plus être bien loin maintenant… »

Silver avait vu juste. Au bout de deux cents mètres, nous atteignîmes l'endroit indiqué. Aussitôt, les hommes se mirent à creuser. Quelle fièvre ! Quelle impatience ! Soudain, un vieux coffre apparut. Silver se jeta dessus. Mais lorsque, après bien des efforts, il parvint à l'ouvrir, il constata qu'il était vide ! Sa déception fut grande. Mais celle de ses hommes encore plus. Elle les rendit littéralement fous furieux.

Sortant leurs armes, ils se retournèrent contre lui… et contre moi ! Mais déjà Silver avait dégainé. Et, tandis qu'il tirait d'une main, de l'autre il me passa un pistolet. Je n'eus pas le temps de m'en servir. Un pirate venait de s'effondrer. Ses complices détalèrent sans demander leur reste.

Le calme était à peine revenu que d'autres coups de feu retentirent. Je levai les yeux : le docteur accourait, suivi de Trelawney ! Je leur hurlai de ne pas tirer sur Silver : après tout, il venait de me sauver la vie. Ils rengainèrent leurs armes et nous firent signe de les rejoindre. Quelle surprise en haut de la colline ! Ils avaient découvert le domaine de Ben Gunn : une grotte où s'entassait un fabuleux trésor !

« Le trésor de Flint ! m'écriai-je. Magnifique ! Je comprends maintenant pourquoi vous avez cédé si facilement le plan de Silver !

– Je me suis bien fait avoir ! reconnut le pirate.

– Et maintenant, tu vas le payer ! » gronda le capitaine. Mais j'intervins en sa faveur. Le capitaine rengaina son épée. « Après tout, pensai-je, ses gros bras ne seront pas de trop pour transporter tout cet or sur le bateau ! »

Malgré l'aide de Silver, il nous fallut trois jours pour remettre l'Hispaniola à flot, puis y transporter la totalité de nos richesses ! Le matin du départ, nous n'embarquâmes que les quelques marins restés fidèles. Les autres nous les abandonnâmes sur l'île sans regret. Ben Gunn était du voyage. Sans lui, le trésor aurait peut-être déjà disparu. Il avait bien mérité sa part.

Mais Silver, qui ne la méritait guère, la prit quand même à notre insu quelques jours plus tard, alors que nous faisions escale dans une île. Comme nous venions de prendre le large, nous l'aperçûmes qui s'éloignait de son pas claudiquant, le magot sur l'épaule et son perroquet par-dessus. Nous ne devions plus jamais entendre parler de lui. Personne n'en fut vraiment fâché !

C'est ma mère qui fut contente de me revoir ! Et puis, j'avais tenu ma promesse : je revenais riche. Grâce à mon or, elle eut une vieillesse confortable. Et moi, de beaux souvenirs pour le restant de mes jours !